Dados Internacionais de Catalogação na Publicação (CIP)
(Câmara Brasileira do Livro, SP, Brasil)

Meu pequeno Evangelho : ensinamentos de amor em forma divertida / [texto Mauricio de Sousa, Luis Hu Rivas, Ala Mitchell ; ilustrações Emy T. Y. Acosta] . -- 1. ed. -- Catanduva, SP : Boa Nova Editora ; São Paulo : Maurício de Sousa Editora, 2014.

ISBN 978-85-8353-020-6

1. Espiritismo - Literatura infantojuvenil 2. Evangelho - Literatura infantojuvenil 3. Evangelho espírita para crianças I. Sousa, Mauricio. II. Rivas, Luis. III. Mitchell, Ala. IV. Acosta, Emy T. Y..

14-11683   CDD-028.5

Índices para catálogo sistemático:

1. Evangelho : Literatura infantil   028.5
2. Evangelho : Literatura infantojuvenil   028.5

16ª edição
Do 150º ao 160º milheiro
10.000 exemplares
Setembro/2022

Equipe Boa Nova

Diretor Presidente:
Francisco do Espírito Santo Neto

Diretor Editorial e Comercial:
Ronaldo A. Sperdutti

Diretor Executivo e Doutrinário:
Cleber Galhardi

Editora Assistente:
Juliana Mollinari

Produção Editorial:
Ana Maria Rael Gambarini

Coordenadora de Vendas:
Sueli Fuciji

2014
Direitos de publicação desta edição no Brasil reservados para Instituto Beneficente Boa Nova entidade coligada à Sociedade Espírita Boa Nova
Av. Porto Ferreira, 1031 | Parque Iracema
Catanduva/SP | 15809-020 | Tel. (17) 3531.4444
www.boanova.net

O produto da venda desta obra é destinado à manutenção das atividades assistenciais da Sociedade Espírita Boa Nova, de Catanduva, SP.
1ª Edição: Novembro de 2014 - 10.000 exemplares

Estúdios Mauricio de Sousa

Presidente: Mauricio de Sousa

Diretoria: Alice Keico Takeda, Mauro Takeda e Sousa, Mônica S. e Sousa

Mauricio de Sousa é membro da Academia Paulista de Letras (APL)

Direção de Arte
Alice Keico Takeda

Diretor de Licenciamento
Rodrigo Paiva

Coordenador de Direitos Autorais
Eduardo Trevisan

Editor
Sidney Gusman

Assistente Editorial
Lielson Zeni

Layout
Robson Barreto de Lacerda

Revisão
Ivana Mello

Editor de Arte
Mauro Souza

Coordenação de Arte
Irene Dellega, Nilza Faustino

Assistente de Departamento Editorial
Anne Moreira

Desenho
Emy T. Y. Acosta

Arte-final
Clarisse Hirabayashi, Romeu Takao Furusawa

Cor
Giba Valadares, Kaio Bruder, Marcelo Conquista, Mauro Souza

Designer Gráfico e Diagramação
Mariangela Saraiva Ferradás

Supervisão Geral
Mauricio de Sousa

Condomínio E-Business Park - Rua Werner Von Siemens, 111
Prédio 19 – Espaço 01 – Lapa de Baixo – São Paulo/SP
CEP: 05069-010 - TEL.: +55 11 3613-5000

Ilustrações © 2014 Mauricio de Sousa e Mauricio de Sousa Editora Ltda. Todos os direitos reservados.
www.turmadamonica.com.br

Turma da Mônica
Meu Pequeno Evangelho
Ensinamentos de amor em forma divertida

Sumário

Meu Pequeno Evangelho 9

O Reino dos Céus 14

Felicidade 16

Humildade 18

Pureza 20

Paz 22

Misericórdia 24

Amor 26

Perdão 28

Indulgência 30

Amar a Todos 32

O Bem 34

Piedade 36

Amar os Pais 38

Caridade 40

Serviço 42

Perfeição 44

A Criança de Bem 46

Os Escolhidos 48

A Fé 50

Os Profetas 52

A Intcligência 54

Trabalho 56

Doação 58

Pedidos 60

A Despedida 62

A mais bela página escrita

Imagine combinar as belíssimas mensagens de amor que o Evangelho ensina, contadas de forma divertida com a turminha mais querida do Brasil.

Um sonho que agora se tornou realidade.

O livro *Meu Pequeno Evangelho* apresenta o ensino que nasceu no coração de Jesus, que ilumina nossos caminhos, trazendo sua mensagem amorosa para os corações das crianças.

Uma palavra de amor, dita no momento certo, pode mudar uma vida. Por isso, este livro – repleto de palavras amor, caridade e humildade – nasceu com o objetivo de passar o exemplo que Jesus nos deixou, como guia para formar crianças de bem e felizes.

Então, não perca esta chance de ouvir histórias superengraçadas, que vão deixar o seu dia a dia mais iluminado, permitindo que você enxergue em todos os seres da natureza, criaturas de Deus. Trate e cuide deles com muito carinho, e assim poderá sentir o reino dos céus em seu coração.

Esperamos que você goste deste livro tanto quanto a turminha gostou, e que essa leitura torne sua vida muito mais feliz.

Os autores

Meu Pequeno Evangelho

Pelas ruas do bairro do Limoeiro, num belo dia de sol, o Cebolinha e o Cascão estão fugindo das coelhadas da Mônica.

— Acho melhor a gente se esconder na minha casa! — disse Cascão.

— Ótimo plano! A dentuça nunca vai nos **encontlar** lá! — falou o Cebolinha.

Ao entrar na casa, os meninos viram um homem sentado no sofá da sala, brincando com o Chovinista.

— Primo André! — falou Cascão, com alegria.

— Oi, garotos. Tudo bem? — disse André.

— **Plimo Andlé**? Não sabia que você tinha um *plimo*, Cascão! — estranhou Cebolinha.

— Ele é primo do meu pai! — falou Cascão.

— Você deve ser o Cebolinha! O Cascão já me contou que você é o melhor amigo dele. — afirmou André. — Meu nome é André, e sou primo de Seu Antenor. Eu moro longe, mas, como estava passando por aqui, aproveitei para visitar a família.

— Legal, mas acho melhor fechar a **polta...** — enquanto o Cebolinha falava, a Mônica e a Magali entravam.

— Tarde demais, Cebolinha! **Achei vocês!** Agora, vão levar uma lição! — exclamou Mônica, já girando o Sansão.

— Cascão, você deixou a **polta abelta**! — reclamou Cebolinha.

— Você não vai bater na gente na frente de uma visita, né, Mônica? — perguntou Cascão, com um sorriso sem graça.

— Visita? — perguntou Magali.

— Olá, meninas! — disse André.

— Vocês sabiam que o primo André é espírito? — disse Cascão para toda a turminha.

— O quê?! Espírito?! **Uaaaahhhh!** — gritaram todos, enquanto corriam de medo.

— Esperem, crianças! Eu sou espíri**ta**, com **A** no final, não espírito! — explicou André.

— Ufa! Eu já pensei que você **ela** amigo do Penadinho! — respondeu Cebolinha, mais tranquilo.

— Espírita é alguém que encontrou um grande tesouro: uma doutrina que ensina a fazer a caridade e que estuda o Evangelho. — afirmou André.

— E que livro grande é esse na sua mão? — perguntou Magali.

— Justamente, este livro é o Evangelho! — afirmou André.

— Ejanvelho? Isso é coisa de velho? — perguntou Cascão, bem curioso.

— Nada disso, Cascão! O Evangelho, que significa "boa nova", e o que está escrito neste livro é mais ou menos assim: ele tem os ensinamentos de amor que Jesus falou há mais de dois mil anos. — disse André.

— Há mais de dois mil anos? Então é velho, sim! — afirmou Cascão.

— Nem tanto, primo! Vou mostrar pra vocês como ele, mesmo sendo tão antigo, continua atual e presente nas nossas vidas. — falou André. — Por favor, contem pra mim histórias de suas férias, passeios e coisas legais de que se lembram.

Então, André convidou a todos pra brincar de contar histórias. Assim, a turminha, toda animada, se sentou ao redor dele e começou a contar suas aventuras.

O Reino dos Céus

— Eu começo! — gritou Cascão. — Lembram daquela vez na praia, quando a gente estava brincando na areia?

— **Clalo!** Eu **ela** o **lei** e estava fazendo um castelo **enolme**, com cavalos, **exélcitos** e súditos. — falou Cebolinha.

— Eu era a rainha, tinha uma bela coroa e muitos vestidos! — disse Mônica.

— E eu fiz uma mesa cheia de comida! Pena que era tudo de mentirinha! — afirmou Magali.

André observou a conversa entusiasmada, e perguntou se lembravam de algo mais.

— Sim. Eu disse pra eles ficarem longe do mar, que é muito molhado. — falou Cascão. — Mas ninguém me escutou! Então, veio uma onda e acabou com tudo! Sorte que eu saí correndo antes!

Foi aí que André explicou para a turminha um ensinamento.

— Segundo o Evangelho, um dia nós alcançaremos um grande reino, se seguirmos os conselhos de amor e praticarmos o bem, como Jesus fez. Mas não é um reino, com castelos, joias, dinheiro, exército, que uma simples onda pode levar! É o "reino dos céus".

— Um reino nos céus? Com nuvens? Legal! Assim eu controlaria a chuva, certo? — perguntou Cascão.

André riu e continuou:

— Esse "reino dos céus" é mágico, porque traz a felicidade. Não está aqui ou ali; ele é construído dentro de cada um de nós, em nossos corações, quando fazemos o bem. E vocês, o que têm feito de bom?

A Magali foi a primeira a falar:

— Ah, eu agradeço sempre que alguém me oferece uma melancia, um sorvete, uma pizza ou...

— Eu ajudo a cuidar da minha **ilmãzinha**. — falou Cebolinha.

— Em casa, quem cuida do Monicão sou eu! — disse Mônica.

— Deixa eu pensar... Ah, eu faço brinquedos com material reciclável. — explicou Cascão.

Então, André parabenizou a todos:

— Muito bem, turminha! Viram como vocês faziam coisas que estão no Evangelho e nem sabiam? O importante é continuar fazendo o bem!

Felicidade

Em seguida, foi a vez da Magali, que lembrou quando a turma foi visitar o Chico Bento, na Vila Abobrinha. Ele estava triste, pois tinha tirado notas ruins na escola, corria o risco de não passar de ano e não poder estudar mais com seus amigos, nem com a sua querida Rosinha.

Chico falava, todo tristonho:

— Mais ocêis num tão intendendo. Si eu num tira nota boa, vô ficá longe di todos meus amigo i perdê um ano na iscola. Tô perdido! Buáá!

André perguntou à Magali:

— E vocês falaram algo para o Chico?

— Sim, claro! — disse Magali. — Eu falei pra ele aproveitar aquelas férias pra estudar um pouco mais, se esforçar.

O Franjinha, que estava por perto, aconselhou:

— Chico, nós podemos até ajudar você com as lições. Afinal, amigos não são só para brincar.

— Os meus primeiros desenhos não eram tão bonitos, mas, com o treino, eles foram melhorando. — falou Marina.

— Meus **plimeilos** planos **elam flacos**, mas com a **plática ficalam** infalíveis! — afirmou Cebolinha.

— E as minhas coelhadas, mais certeiras! — lembrou Mônica.

— Gardecido, pessoar! Oceis tão certos! Eu perciso mermo caprichá nos istudos. — disse Chico Bento.

— E vamos ficar todos alegres, Chico! Você vai conseguir, tenho certeza — disse Magali.

Foi quando André interrompeu:

— Crianças, vocês repararam como o Chico aprendeu que muitos dos nossos sofrimentos são causados por nós mesmos?

— Isso mesmo! O Cebolinha e o Cascão deviam aprender. — brincou Mônica, com um sorrisinho!

— Sabiam que no Evangelho tem uma frase assim: "Felizes os que choram, pois serão consolados"? O consolo virá na hora certa, em retribuição ao bem que se fez. — explicou André, que em seguida perguntou. — E por que vocês ajudaram o Chico?

— Porque somos amigos dele, ué! — respondeu Cascão.

— Exato! E, mesmo sem saber, praticaram algo que está no Evangelho!

Humildade

Agora era a vez da Mônica contar uma história.

— Lembram daquela vez em que as meninas desafiaram os meninos para saber qual deles era o mais esperto?

— Hi, hi, hi! Claro! — sorriu Magali.

A Mônica contou que os meninos tinham que desenhar num papel algo que fosse muito importante.

O Franjinha fez uma grande máquina, que faria todo tipo de sorvete, e disse que era o mais inteligente.

— Eu até bati palmas. — lembrou Magali.

Já o Cebolinha elaborou um plano infalível e também disse que era o mais esperto, mas a Mônica não concordou com ele.

Cascão desenhou um brinquedo de lixo reciclável e garantiu que era o mais sabido! Ele até ganhou um beijinho da Maria Cascuda.

Mas, quando chegou a vez do Chico Bento, ele ficou muito sem jeito de mostrar o seu desenho para os outros.

— E o que ele desenhou? — perguntou André.

— Ele desenhou a natureza dentro de um coração. E disse, todo desanimado, que só tinha desenhado a amizade, o sol, as flores e as coisas simples. — respondeu Mônica.

— Que interessante! — afirmou André.

— Nós também achamos, André! Tanto que demos o prêmio pra ele! — disse Magali.

— O Chico ficou muito feliz, achava que não **melecia**, e deu uma **choladinha**. — falou Cebolinha.

André então explicou para a turminha:

— Vocês perceberam, crianças? Pela humildade, por ser simples, o Chico conquistou os seus corações e ganhou o prêmio. A pessoa humilde olha a todos como pessoas iguais e não fica mostrando o bem que faz aos outros.

E assim, o primo André lembrou mais uma passagem do Evangelho à turminha:

— Sem a humildade, todas as outras virtudes não têm valor.

Pureza

Na vez do Cebolinha falar, ele contou sobre quando a turminha foi ao clube e, para entrar na piscina, tinham que tomar banho num chuveiro. E, claro, o Cascão reclamou:

— Banho, piscina, água? Tô fora!

— Sempre sujinho! — disse Magali. — Eu adoro tomar banho!

Ouvindo a conversa, André contou o que o Evangelho ensina: "Felizes os que têm puro o coração, pois eles conhecerão a Deus".

— Pureza? Coração limpo? Nem assim você vai me convencer a tomar banho, primo! — afirmou Cascão.

Todos riram, enquanto André continuou:

— Calma, Cascão! Pureza de coração é ser simples e bondoso, e não tem nada a ver com tomar banho.

— Ufa! Ainda bem! — disse Cascão, aliviado.

André lembrou que Jesus gostava muito das crianças, pois elas são puras de coração, e uma vez falou: "Deixem que venham até mim as criancinhas, pois o reino dos céus é para as pessoas que se assemelham a elas".

— Criancinhas como o Dudu? — perguntou Magali.

— Sim, crianças como ele! — respondeu André.

Mônica e Cebolinha, que discutiam, pararam e perguntaram: — E como nós também?

— Sim, também. Vocês só precisam maneirar um pouco! — respondeu André, sorrindo. E completou:

— Assemelhar-se a uma criança é ser simples, ter doçura e o coração puro.

— Obrigado, André! Bom saber que posso ter o coração puro, sem precisar tomar banho. — disse Cascão, arrancando risadas de seus amigos.

Paz

Cascão, então, deu um salto e gritou:

— Eu me lembrei do que aconteceu na praia! Eu fiz um grande pacto de paz.

— Um pacto de paz? — perguntou André, surpreso.

— Sim. Fiz um pacto de paz com a água do mar! — afirmou Cascão.

— Como é que é? — perguntou Mônica, sem entender nada.

— Eu disse pra água: você não me molha e eu não te sujo! — respondeu Cascão.

Toda a turminha rolou de rir com a resposta.

— O que foi? — perguntou Cascão.

Cebolinha levantou-se e falou:

— Ai, ai... acho melhor eu contar uma **histolinha**: teve uma em época em que o Floquinho voltava da **lua** e chegava em casa todo machucado, **polque** um **cacholo** muito **blavo** batia nele. Por isso, pensei em **tleinar** o Floquinho **pala** lutar, mas achei que não **dalia celto**. Então, **plepalei** um plano infalível.

Todos ficaram prestando atenção, e Cebolinha continuou:

— Saí com o Floquinho e, quando o **cacholo** atacou, demos um belo osso **pla** ele. O cão não **espelava** por isso, e ficou muito feliz. Assim, nunca mais machucou o Floquinho!

— Ai, que história linda! — disse Magali. Mas pare de falar em comida, que me dá fome.

André aproveitou a história do Cebolinha e explicou o que Jesus sempre falou sobre a importância da paz:

— A paz deve estar em nossas vidas. O Evangelho ensina que os violentos tentam intimidar os pacíficos, mas as pessoas que ficam ao seu lado, fazem isso por medo, e não por amizade. Ou seja, eles vivem sozinhos.

E André olhou para Cebolinha e disse:

— Por isso, parabéns pro Cebolinha e pro Floquinho! Eles praticaram algo muito bom.

Misericórdia

Antes que a Magali começasse a contar a sua história, o Cebolinha correu pela sala, fugindo da Mônica com o Sansão nas mãos. Ele se jogou ao lado do André, buscando proteção e disse: — **Miselicóldia**, Mônica!

— Não venha me falar de misericórdia, seu moleque! — disse Mônica.

— Explica *pla* ela, André! — falou Cebolinha, assustado.

— Calma, Mônica. Deixa eu explicar: misericórdia é perdoar ofensas, rancor e mágoas. Segundo o Evangelho, se perdoarmos aos outros, também seremos perdoados por Deus. — disse André.

A Mônica se acalmou, mas continuou de olho no Cebolinha, que respirou aliviado.

Então, todos olharam para a Magali e esperaram para ouvir a história que ela contaria. Magali falou de uma vez em que o Mingau, seu gato de estimação, perseguiu um rato até ele ficar esgotado.

— Quando o Mingau cercou o ratinho no canto da parede, ele parecia pedir para não ser mordido. Aí, aconteceu uma coisa estranha: o Mingau lambeu os bigodes, virou as costas e foi embora. E o rato fugiu rapidinho.

    E Magali continuou:
    — Dias depois, quando Mingau voltava da rua, vi um cão correndo atrás dele — e eu segui os dois, claro. Quando o cachorro ia pegar o Mingau, sabem o que aconteceu? Apareceu um ratinho, que correu várias vezes em volta do cão, o distraiu, e salvou o Mingau de tomar uma surra daquelas. Será que era o mesmo rato?
    — Essa história não tem nada a ver, Magali! — falou Cascão.
    — Tem, sim, Cascão. Tem tudo a ver com misericórdia. — disse André.
    — O Mingau, por ter sido misericordioso com o ratinho, recebeu o perdão do cão? — perguntou Mônica.
    — Exatamente! Não dá pra saber se foi o mesmo ratinho, mas ele foi ajudado. É por isso que devemos fazer as pazes com quem ofendemos, enquanto eles ainda estão conosco. — respondeu André.
    — Ainda bem que o Mingau foi misericordioso e não comeu o ratinho. — disse Mônica.
    — Contar toda essa história deu fome! Tenham misericórdia de mim e vamos comer! — disse Magali.

Amor

Marina e Franjinha foram visitar o Cascão. Bateram na porta e foram convidados a entrar. Então, Marina disse:

— Olá, meninos, o que estão fazendo?

— Oi, Marina! Estamos contando histórias pro André, que é primo do Cascão. E ele conta pra gente como essas histórias podem estar no Evangelho.— disse Mônica.

— Então, vocês são a Marina e o Franjinha! Muito prazer. — falou André.

Após cumprimentá-lo, Marina perguntou se podia entrar na brincadeira.

— Vale contar história de amor? Ou melhor, desenhar? — perguntou Marina.

— Aê, Franjinha, desmanchando corações! — brincou Cascão, deixando seu amigo sem jeito.

André interrompeu e aconselhou a Marina:

— Marina, quem sabe eu possa ajudar. Vou contar uma coisa que o Evangelho fala sobre o amor.

— Ai, que legal! — disse Marina.

— Jesus ensina que sempre devemos amar o nosso próximo como a nós mesmos. — disse André. Em outras palavras, o amor é fazer pelos outros, o que gostaríamos que os outros fizessem por nós.

— Mas como vou desenhar isso? — perguntou Marina.

— Marina, o amor faz com que a gente enxergue todos os seres como nossos irmãos. — falou André.

A Mônica então disse:

— Eu tenho uma ideia! Você pode me desenhar levando o Monicão ao veterinário.

— Eu não acho boa ideia! — disse Cebolinha. — Você vai gastar muita tinta pintando a **golducha**.

— **Cebolinha!** — Mônica gritou, furiosa.

— Ei, vocês dois, estamos falando de desenhar o amor! — lembrou Marina.

— Viu, Cebolinha? — disse Mônica. — Hoje você não vai receber uma coelhada!

— **Sélio?** — perguntou Cebolinha, surpreso.

— Como estamos falando de amor, hoje vou te dar um... abraço! — falou Mônica.

Enquanto Mônica dava um abraço em Cebolinha, que ficou todo sem-graça, Marina disse:

— Muito legal! É isso que eu vou desenhar!

— Ai, o amor é lindo, né, turma? — brincou Cascão, para irritar o Cebolinha, que ainda tentava se livrar do abraço da Mônica.

Perdão

O Franjinha, todo animado, resolveu entrar na brincadeira e contar uma história para a turma. Ele disse que, algumas semanas antes, ganhou uma roupa e foi visitar o Cascão para mostrar o novo visual. Ao chegar, Cascão estava brincando com o Chovinista, que pulou em cima do Franjinha.

— Chovinista, olha o que você fez! — bronqueou Cascão.

— Óinc! — respondeu Chovinista, entristecido.

— Quantas vezes já falei que as visitas não são como eu? Você não pode sujar todo mundo que entra em casa! — respondeu Cascão.

— Calma, Cascão, não fica bravo. Ele é só um bichinho! — disse Franjinha.

— Mas ele faz sempre a mesma coisa! — afirmou Cascão.

Então, o Franjinha contou que toda vez que o Bidu escuta um trovão, volta do jardim correndo, com as patas cheias de lama, entra no quarto e se esconde embaixo da cama, sujando tudo.

— E você não fica bravo? — perguntou Cascão.

— Não. Porque ele não faz por mal. Não tinha como culpar o Bidu, tadinho. — falou Franjinha.

— É... você tem razão. Trovão e chuva são coisas aterrorizantes mesmo! Dão muito, muito medo. — disse Cascão.

Então, o Franjinha reparou bem e viu que a sujeira na sua roupa era de patas de cachorro:

— Olha só! Deve ter sido Bidu que fez isso! O Chovinista levou bronca sem ter culpa, Cascão!

— É mesmo... Desculpa, meu amigo! Mas nem assim você vai brigar com o Bidu? — disse Cascão.

— Claro que não. Apenas treiná-lo e educá-lo. — falou Franjinha.

Após ouvir a história, André disse:

— Parabéns, Franjinha. Esse é o verdadeiro perdão, pois mantém sempre o coração aberto para desculpar as falhas. Não há nada melhor que perdoar, até para podermos dormir em paz.

— Hum! Se eu durmo em paz, posso sonhar com muitas melancias! — brincou Magali, toda sorridente. Vou perdoar sempre, podem acreditar!

Indulgência

Era a vez da Marina falar, mas ela foi interrompida pela briga entre Mônica e Cascão, que gritavam um com o outro:

— Dentuça! Gorducha!

— Sujo! Fedorento!

— Mas o que houve? — perguntou André.

— Foi ele que começou. — disse Mônica, furiosa.

— Eeeeuuu? Foi ela! — afirmou Cascão.

— Vocês nunca ouviram falar da indulgência? — perguntou André.

— É algum remédio? — perguntou Cascão, arrancando gargalhadas até mesmo da Mônica.

— Não é remédio, Cascão, mas ajuda as pessoas. A indulgência é um sentimento que devemos ter para perdoar as falhas das pessoas. — afirmou André.

— Continuo sem entender! — disse Mônica.

André explicou que o Evangelho ensina que não se deve julgar os defeitos dos outros. Afinal, todos cometem erros, e ninguém gosta de ser julgado.

Depois disso, Marina finalmente conseguiu contar sobre suas férias. Ela viu o Dudu rabiscando muros na rua e, em vez de criticar, disse:

— Dudu, você sabe por que as pessoas desenham em papel em vez de rabiscar nos muros?

— Não... — respondeu Dudu.

— É porque, no muro, um desenho não pode ser guardado, nem levado pra casa. E nem todo mundo gosta das mesmas coisas que a gente.

— Puxa, é mesmo! — falou Dudu.

— O que acha de limparmos o muro e depois desenharmos tudo de novo, mas agora num papel? — perguntou Marina.

André explicou que a Marina fez muito bem e foi indulgente.

— Quem de nós, quando era pequeno, não fez travessuras, muitas vezes, por não saber que aquilo era errado? — indagou André.

Em seguida, Mônica perguntou:

— Então, se um amigo não toma banho, em vez de brigar com ele, devemos ensinar que a água faz bem, para que tome banho nas próximas vezes?

— É! Mais ou menos assim, Mônica! — respondeu André.

— Ei, isso não vale! — reclamou Cascão.

— Cascão, não fuja! Venha cá! Vou te ensinar umas coisinhas... — disse a Mônica, enquanto Cascão corria.

Amar a Todos

No meio daquela conversa animada, André falou às crianças sobre a convivência:

— Turminha, vocês sabiam que, no Evangelho, Jesus fala em amar a todos os seres?

— Todos? Todinhos? — perguntou Magali.

— Sim, todos. — André respondeu.

— Até aqueles que não gostam da gente? — perguntou Mônica. — Isso não vai ser muito fácil.

— Eu sei, Mônica, mas para amar não se deve guardar mágoa, nem querer vingança contra ninguém. — respondeu André.

— Então, se alguns meninos danados pegam o meu coelhinho, não devo sentir raiva? — perguntou Mônica.

— Isso mesmo, Mônica! Eu não disse que ia ser fácil, mas é preciso tentar. E você pode ser brava, mas não me parece ser uma menina vingativa. — respondeu André.

— Pelo contrário, ela é uma ótima amiga. — falou Magali.

— Crianças vingativas fazem os amigos se afastarem! — afirmou André.

— E nós nunca nos **afastalemos** de você... mesmo te **plovocando** "um pouquinho" — disse Cebolinha.

— Oohh! — suspirou Magali.

— Ih, já, já o careca entrega que gosta da dent... ops... Mônica! — brincou Cascão

Foi então que André explicou às crianças que os espíritas acreditam que Deus coloca pessoas difíceis em nosso caminho por algum motivo.

Nesse momento, Mônica viu as orelhas do Sansão com um nó. Ao lado, estavam Cebolinha e Cascão com aquele típico sorriso amarelo. Então, ela se levantou e disse:

— Desta vez, vocês se salvaram!

Mônica se aproximou, deu um forte abraço nos dois e falou:

— Mas desfaçam esse nó **agora mesmo!**

Cascão e Cebolinha ficaram surpresos.

— Ufa! Valeu, **Andlé!** — disse Cebolinha.

— Você salvou a gente! — falou Cascão, aliviado.

O Bem

— **L****emblei** de um plano infalível que **cliei** uma vez! — falou o entusiasmado Cebolinha.

— Eu **acoldei** bem cedo e limpei o **calo** do meu pai.

— Você lavou o pé do seu Cebola? — se espantou Cascão,

— Não, **englaçadinho**, o automóvel dele! E quando meu pai **acoldou**, contei **pla** ele e ganhei algumas moedas. — concluiu Cebolinha.

— Já fiz algo parecido: molhei o jardim e as plantas da mamãe. Ela ficou tão feliz quando contei, que aumentou minha mesada. — contou Mônica.

Ao ouvir o que as crianças contaram, André disse:

— O que vocês fizeram foi bom, mas foi só para ganhar algo em troca? Ou foi para ajudar?

— Mas quando a gente faz alguma coisa boa, não tem que mostrar para alguém? — perguntou Magali.

André, então, citou uma passagem do Evangelho, em que Jesus diz: quando fazemos o bem, que "não saiba a mão esquerda o que faz a mão direita".

— Mão **dileita? Esquelda?** Isso quer dizer o quê? — perguntou Cebolinha.

— Significa que, quando fazemos algo bom, ninguém precisa saber. Não é preciso espalhar a todos o bem que foi feito. — disse André.

Em seguida, André explicou que há muitas pessoas que quase nunca fazem coisas boas. Mas, quando fazem, falam pra todo mundo o pouco que fizeram.

— Pensem: que coisas bonitas vocês podem fazer pelos outros? — perguntou André.

A Marina pensou em pintar quadros bonitos e doar a um asilo para alegrar os velhinhos que vivem lá.

O Franjinha pensou em criar uma máquina para fazer chover e ajudar as pessoas que sofrem com a seca.

— Não gostei dessa ideia, não! — disse Cascão.

E, no fim, toda a turminha entendeu que é melhor fazer o bem pelo próprio bem, e não para que os outros saibam o que foi feito.

Piedade

Enquanto a turminha continuava contando suas histórias, André reparou que, naquele momento, pela janela, dava pra ver o pôr do sol. Ele chamou todos para verem as estrelas aparecendo no céu e disse que elas são como as virtudes, cheias de luz.

— Vocês sabiam que, segundo o Evangelho, a piedade é a virtude que mais aproxima as pessoas dos anjos? — perguntou André.

Para surpresa de todos, especialmente do André, naquela hora, o Anjinho entrou pela janela e disse:

— É isso mesmo! E eu também quero contar uma história que aconteceu nas suas férias e que vocês não sabem.

— U-um a-anjo de verdade? — se espantou André.

— Ah, o Anjinho é nosso amigo, André. **Relaxa!** — tranquilizou Cascão.

E Anjinho começou a sua história.

— Lá do céu, vi que, várias vezes, quando o Bidu ia comer sua ração, aparecia o Rúfius e não deixava ele se aproximar. E ainda comia tudo, deixando o Bidu com fome.

— Coitadinho... Nem eu sabia disso. — se espantou Franjinha.

E o Anjinho prosseguiu:

— Um dia, quando foi pegar a comida, Rúfius tropeçou, caiu nuns espinhos e ficou todo machucado. Então, o Bidu se aproximou e passou a lamber as feridas do outro cachorro.

— O que o Bidu fez é piedade? — perguntou Cebolinha.

— Sim, Cebolinha! — disse Anjinho. Piedade é quando pensamos mais nos outros do que em nós mesmos.

— Assim como o Bidu, devemos ajudar quando vemos alguém sofrer. — completou André.

Após contar essa história, Anjinho voltou para sua nuvem, mas não sem antes afagar a cabeça do Bidu, por ser um bom cão. E André disse:

— Acho que agora todos entenderam por que a piedade torna as pessoas nobres e as aproxima dos anjos, né?

Amar os Pais

Depois de tantas histórias, as crianças lembraram de coisas de que não gostavam e as deixavam chateadas. André quis saber o que era e a Magali explicou:

— Meus pais não queriam que eu acordasse de madrugada pra lanchar.

— Os meus sempre pedem pra eu lavar as mãos antes de comer. — reclamou Cascão.

— E os meus pais **queliam** que eu **acoldasse** cedo, mesmo nas **félias**! — lamentou Cebolinha.

Então, André lembrou-se de um ensinamento de Jesus: "Honrai a teu pai e a tua mãe". E resolveu comentá-lo com a turminha:

— Todas as pessoas devem amar os seus pais. Afinal, para amar a todos os seres, devemos começar pelos que estão mais perto de nós.

— Mais **pelto**? — perguntou Cebolinha.

— Sim! Ninguém é mais próximo de vocês do que os pais. E quando eles dão conselhos, é porque eles querem o seu bem. — disse André, que continuou. — É por isso que devemos cuidar de nossos pais e cercá-los de carinhos, quando eles estiverem velhinhos. Exatamente como eles fizeram conosco, quando éramos pequenos.

— Ai, como será quando eu for velhinha? — perguntou Mônica.

— Você vai ser uma velhinha **golducha**, é **clalo**. — disse Cebolinha.

— E você um barrigudo careca! — exclamou Mônica.

— E os dois vão ficar brigando na frente dos netinhos deles. Há, há, há! — brincou Cascão.

André acalmou os dois e lembrou a todos que a tarefa dos pais é educar os filhos com amor.

— Os pais devem retirar de seus filhos, desde pequenos, o orgulho e o egoísmo. Se vocês fizerem isso com os seus filhos, eles cuidarão de vocês depois, tenho certeza. — afirmou André.

— Quando eu for mãe, vou amar muito os meus filhinhos. — disse Mônica.

— E eu vou ensinar os meus filhos a fazer vários pratos deliciosos de comida. — falou Magali.

— O meu filho **selá** um megainventor de planos infalíveis! — afirmou Cebolinha. E, assim, a turma aprendeu que os cuidados que os pais tinham com eles eram para o seu próprio bem.

Caridade

— Agora é a minha vez! — falou Mônica.

— Vamos lá, Mônica! Conte pra gente! — disse André.

— Uma noite, durante as férias, caiu uma chuva enorme aqui no bairro do Limoeiro. — começou Mônica.

— Acho que foi uma vez que abri toda minha coleção de guarda-chuvas pelo quarto. E o Nimbus, que estava dormindo em casa, ficou morrendo de medo dos trovões. — falou Cascão.

— Essa mesma, Cascão. No outro dia, só se comentava sobre os estragos da chuva, lembra? A turma estava reunida no campinho, quando vimos a Magali com algumas sacolas cheias de alimentos. — contou Mônica, que prosseguiu. — Perguntei pra Magali o que ela estava fazendo.

— E eu respondi que ia doar os alimentos pra pessoas que estavam em áreas que alagaram. — respondeu Magali, sorridente.

— A Magali dando comida **pla outla** pessoa é algo **lealmente implessionante**! — falou Cebolinha.

André interveio e disse:

— O que a Magali fez é mais uma coisa que o Evangelho ensina, sabiam? Porque todos os ensinamentos de Jesus se resumem no amor e na caridade.

— E ainda tem mais. — disse Mônica. — Naquele dia, o Cascão convocou toda a turminha para ajudar. Franjinha, Titi e Jeremias conseguiram lençóis e cobertores, Cascão criou uns brinquedinhos com materiais recicláveis, e eu e o Cebolinha fomos procurar agasalhos.

André gostou da história, e elogiou as crianças, lembrando que a verdadeira caridade não é dar esmola. Na verdade, a caridade é fazer o bem a todos, sempre.

Serviço

— Eu lembrei de mais uma história! Lembram quando o Chico Bento chegou da roça com uma caixa? E a Mônica queria saber o que tinha dentro dela? — perguntou Magali.

— **Clalo** que **lemblo**. Foi logo depois que eu e o Cascão fomos visitar o Chico na **loça** e levamos dois **calinhos pala blincar**. — falou Cebolinha.

— Só que a gente perdeu os brinquedos no sítio e voltamos pra casa tristes. — relembrou Cascão.

E Magali continuou:

— Isso mesmo. Mas o Zé Lelé achou os carrinhos e disse que nunca tinha tido um. E, mesmo morrendo de vontade de ficar com eles, achou que o certo era devolvê-los. Então, ele colocou naquela caixa e pediu pro Chico Bento trazer de volta. — explicou Magali.

— Mas que bela história. Ela me fez lembrar de um ensinamento do Evangelho, quando Jesus disse que "não podemos servir às coisas de Deus e às da Terra ao mesmo tempo". — falou André.

— Coisas da **tela**? Como assim? — perguntou Cebolinha.

— Eu gosto de brincar na terra! — afirmou Cascão.

— Vou explicar melhor — disse André. — As coisas de Deus, que são o amor e a amizade, devem estar acima das coisas da Terra, que são o dinheiro e os bens materiais.

Então, a Magali continuou, lembrou o que ela mesma disse ao Chico Bento e o que aconteceu a seguir:

— Puxa! Que atitude linda do Zé Lelé e sua, Chico.

— Ara, Magali, os minino pode tê ficado triste dimais sem os carrinho! — falou Chico Bento.

— Vocês colocaram a amizade acima da vontade de ter aqueles brinquedos. — falou Mônica.

Logo depois, Cebolinha abriu a caixa, cochichou com o Cascão e disse:

— Sabe, Chico, nós temos muitos **calinhos**.

— É verdade! Pode levar estes aqui para você e pro Zé Lelé brincarem pra valer. — falou Cascão.

O Chico ficou muito feliz, e voltou todo contente para a roça, para contar a novidade pro Zé Lelé.

— E vocês realizaram um ato nobre, crianças. Parabéns. — explicou André.

Perfeição

— Pode ser a minha vez, agora? — perguntou Mônica.

— Claro que pode! — respondeu André.

A Mônica se lembrou de algo muito engraçado, que aconteceu umas semanas antes.

— Eu encontrei a turma na pracinha, e o Cebolinha estava usando uma... peruca!

— Você tem que contar essa **história**? — resmungou Cebolinha, com a mão no rosto.

— Lógico! — respondeu Mônica. — Até hoje ainda não sei por que você estava com a peruca.

— É **polque** achei que com a **peluca** eu **ficalia** mais bonito. — falou Cebolinha, todo envergonhado.

André interrompeu a conversa:

— Crianças, é legal querer melhorar a aparência. Mas tem uma coisa que acho mais bonita ainda.

— O que é? — perguntou Magali.

— Melhorar nossos sentimentos, com as virtudes — respondeu André.

— **Viltudes**? — perguntou Cebolinha.

André explicou que virtudes é tudo aquilo que se faz com bons sentimentos, como ser caridoso, simples e bondoso:

— Tem uma frase em que Jesus ensina: "Sejam perfeitos, como perfeito é Deus". Mas essa perfeição não é com a aparência física, e sim com as virtudes.

— Ainda bem, **polque** a **peluca** me dava uma **coceila...** — comentou Cebolinha, com um sorriso tímido.

— Tem razão. Vou tentar não ser tão brava com os meninos. — falou Mônica.

— Eu vou me esforçar pra acordar mais cedo. — disse Cascão.

— E eu vou maneirar, um pouquinho, nos doces. — completou Magali.

E André concluiu:

— Muito bem, crianças! Pensem sempre em quais virtudes podem tornar melhores do que eram antes. E passem esse exemplo para a turma toda!

A Criança de Bem

— Tem mais uma! — gritou Cascão. Lembra daquela vez em que a gente foi ao cinema ver filme de fantasma?

— Ô se lembro! Era um menino que virou um fantasma feliz. — disse Mônica.

— Ele até parecia o Penadinho. — falou Magali.

André, aproveitando a conversa, contou que se ele era um fantasminha feliz, é porque foi uma criança de bem.

— **Cliança** de bem? O que é isso? — perguntou Cebolinha.

— As crianças de bem são as justas e amorosas com todos: seus pais, amigos e animais.

— Ah, eu adoro os meus amiguinhos e o Monicão. — disse Mônica.

— Eu também **adolo** o Floquinho — falou Cebolinha.

— O Mingau não fica atrás. — contou Magali.

— O Chovinista é único. — afirmou Cascão.

Então, André explicou que a criança de bem, sempre antes de dormir, reflete se não fez mal a alguém e se fez todo o bem que podia.

— Por que antes de dormir? — disse Cascão.

— Porque é na hora em que relembra o dia que passou e avalia o que fez. A criança de bem perdoa as ofensas, é bondosa e camarada. Mas não vale fazer essas coisas por obrigação, hein? Tem que ser porque ela se sente feliz em praticar o bem. — completou André.

— Sabe, se eu fosse fantasminha, também ficaria feliz. Afinal, eles não precisam tomar banho! — pensou em voz alta Cascão, enquanto todos riam.

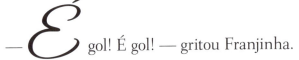
Os Escolhidos

— É gol! É gol! — gritou Franjinha.

— O que houve? — perguntou Magali.

— Lembrei de uma história muito legal! Foi quando a gente foi jogar futebol, representando o bairro do Limoeiro. — disse, todo empolgado, Franjinha.

— Aquilo foi demais! Fomos convocados pelo **tleinador**, o Seu Felipim.— contou Cebolinha.

— E, ainda por cima, não choveu nada naquele dia e eu fiz o gol do empate! — completou Cascão.

Franjinha contou que, naquele dia, toda a turma estava feliz, e as meninas vibravam na torcida. Só teve uma coisa que os chateou: o Xaveco e o Titi não foram escalados para o jogo.

— E por que eles não foram chamados? — perguntou André.

— Eles foram chamados, porque jogam bem. Mas o Xaveco faltou aos treinamentos. — contou Cascão.

— E o Titi **plefeliu** jogar *videogame*. — disse o Cebolinha.

André aproveitou a conversa e contou um ensinamento do Evangelho, sobre o reino dos céus:

— Olha, tem uma frase de Jesus que é assim: "Muitos são chamados para ir ao meu reino, mas poucos são os escolhidos".

— O que significa?— perguntou Mônica.

— É mais ou menos assim, Mônica: muitas pessoas falam que fazem o bem, mas poucos realmente praticam a bondade. Não basta falar que é bom, é preciso se esforçar para ter o coração puro; e não ser egoístas ou orgulhosos.

— Acho que se o Xaveco e o Titi tivessem **tleinado, seliam** escolhidos **pala** jogar no time. — falou Cebolinha.

— Com certeza, eles seriam chamados pelo Seu Felipim! — completou Cascão.

André olhou para todos e afirmou:

— No futebol de vocês, o Seu Felipim não chamou todos os meninos do Limoeiro e escolheu os que mais se esforçavam? No Evangelho é igual, só que Deus chama todos nós para o seu reino, mas só serão escolhidos os que se esforçam em praticar o bem.

A Fé

— Consegui! Consegui! — falou Marina, toda emocionada, ao desenhar uma bela montanha.

— Ficou muito legal, Marina! — disse Mônica.

— Mas por que você fez esse desenho? — perguntou Cascão.

— Eu queria mostrar pra vocês como era o lugar onde passei uns dias das férias. — respondeu Marina. — Eu fui numa fazenda com grandes montanhas.

André aproveitou o desenho de Marina e disse:

— Vocês já ouviram falar que Jesus ensinou que é possível mover uma montanha?

— **Calamba!** Ele **ela folte**, hein? Como isso é possível? — perguntou Cebolinha.

— Nem a Mônica, que é fortona, consegue. — afirmou Cascão.

— Não, meninos! No Evangelho, Jesus ensina que se a nossa fé for do tamanho de uma pequena semente, podemos mover montanhas. — respondeu André.

— Será que essa semente pode ser de melancia? — perguntou Magali.

— Mas... As montanhas são muito pesadas! — retrucou Cascão.

Então, André explicou que quando Jesus falou de "montanhas", ele se referia às dificuldades, aos problemas e à má-vontade das pessoas. Para vencer isso, é preciso ter muita fé em Deus e pedir força para solucionar tudo.

— A fé dá força pras pessoas? Então, a Mônica deve ter muita fé. — interrompeu Cascão, enquanto todos riram.

Os Profetas

 — Ei, André, lembrei de uma boa! Foi quando toda a turminha estava reunida jogando bolinhas de gude. — contou Cascão.

 — E o que aconteceu? — perguntou André.

 O Cascão contou que o Cebolinha chegou e afirmou que tinha umas bolas de gude mágicas. Os meninos se espantaram e o Cebolinha aproveitou para ganhar.

 — Aí, eu fiquei desconfiado, peguei algumas, vi que eram bolas comuns pintadas e falei: Cebolinha, está querendo nos enganar? E ele ainda deu uma risadinha! — esbravejou Cascão.

 André ouviu a história e lembrou de uma passagem em que Jesus falou dos falsos profetas:

 — Segundo o Evangelho, os bons profetas são homens enviados por Deus para orientar as pessoas a fazer o bem. Já os falsos profetas são os que mentem e enganam.

 — E como podemos saber a diferença? — perguntou Mônica.

— É pelos frutos que se reconhece a árvore. — respondeu André. — Um limão só nasce de um limoeiro. Uma laranja só nasce de...

— Uma laranjeira. — completou Magali. — De comida, eu entendo.

— Isso mesmo! De uma árvore boa, só podem vir bons frutos. — completou André. — Os bons profetas só fazem coisas boas, sem divulgar o bem que foi feito. Os falsos, quando têm algo bom, mostram logo a todos.

— André, teve mais uma coisa que o Cebolinha fez! — afirmou Cascão.

Então, a Magali pediu para terminar de contar:

— Ah, bom! Pensei que não ia falar que, naquele dia, o Cebolinha ficou arrependido e disse a todos: Foi mal, pessoal! Posso dividir as bolinhas com vocês, como pedido de desculpas?

— Muito bonito, Cebolinha! Depois disso, sim, as bolinhas ficaram mágicas! elas passaram a ter a magia da amizade! — finalizou André.

A Inteligência

— Quando as férias estavam pra terminar, eu consegui fazer uma nova invenção! — disse Franjinha, contente.

— E o que foi o que você inventou? — perguntou Marina.

O Franjinha contou que tinha criado uma lâmpada que quanto mais no alto ficasse, mais ela iluminava. A turminha ficou encantada.

— Franjinha, parabéns! — disse Mônica.

André se lembrou de uma passagem do Evangelho que tinha tudo a ver com a invenção do Franjinha e falou:

— No Evangelho, Jesus ensina: "Coloca a luz no lugar mais alto, para que possa iluminar a todos que estão em casa".

— Claro! Quando a luz é colocada no alto de um quarto, ela ilumina todo o ambiente. — pensou Mônica em voz alta.

André explicou que a luz é a inteligência que Deus nos dá, e essa luz temos que colocar em lugares altos, para que a todos possa iluminar. Com essas palavras, Jesus nos convida a usar nossa inteligência para divulgar os ensinamentos luminosos do Evangelho.

O Cebolinha, ouvindo a explicação, interrompeu:

— Mas isso é fácil! E só falar das coisas que **aplendemos**, e **plonto**!

— Na verdade, é mais do que isso! — afirmou André. — Devemos divulgar as boas virtudes com nosso exemplo.

— Deixa ver se eu entendi — interrogou Cascão. — Se eu vejo um menino jogando lixo na rua, em vez de reclamar com ele, pego o lixo e coloco na lixeira. Assim, ele aprenderá com o exemplo.

— Isso mesmo! — respondeu André.

— Depois posso até reciclar o lixo tranformando-o num brinquedo bem legal. — completou Cascão.

— Muito inteligente, Cascão! — disse Franjinha. — Realmente um bom exemplo vale mais que mil palavras!

Trabalho

— Tem uma história que já aconteceu tantas vezes, que nem sei se devo contar — disse Mônica.

— Mas por que não? Pode contar. Vamos ver se conseguimos achar alguma ligação dela com o Evangelho — respondeu André.

— Tá bom. Sabe, o Sansão já sumiu várias vezes. A última foi umas semanas atrás, e eu fiquei muito triste. Procurei por ele nas ruas do bairro e nos lugares onde estive, mas... nada. Até que tive uma ideia: ir à casa do Cebolinha de surpresa. Aí, adivinha!

— Esse plano **ela** infalível! — lamentou Cebolinha.

— Quando bati na porta da casa, o Cebolinha abriu e lá estava o meu coelhinho. — disse Mônica. — Eu entrei direto na sala e peguei o Sansão. Fiquei tão feliz!

— Só você ficou, **polque** eu... — resmungou o Cebolinha.

André, ao ouvir a história, lembrou de um ensinamento de Jesus:

— Hum... No Evangelho há uma passagem mais ou menos assim: quando uma pessoa precisa de algo, deve buscar para achar, e bater à porta, pois ela se abrirá.

— Foi isso mesmo que eu fiz! — disse Mônica.

André explicou que esse ensinamento fala sobre a importância do trabalho:

— Para que algo aconteça, é sempre necessário dar o primeiro passo. Quando queremos alguma coisa, temos que usar a nossa inteligência e esforço para conseguir.

O Cascão que escutava com atenção, interveio:

— Ah, entendi! Quando quero um carrinho, eu mesmo pego algumas coisas do lixo, reciclo e construo um novo brinquedo.

— É isso aí, Cascão! — apoiou André. — O "bater à porta" é entendido como bater à porta de Deus com uma prece. E aquele "ela se abrirá", quer dizer que quem acredita nos bons conselhos de Deus vai achar uma solução.

— Acho que agora estou entendendo! — afirmou Mônica.

— O **ploblema** é que a Mônica entendeu **talde** demais o "bater", e acabei levando umas coelhadas. Ai! Ui! — disse o Cebolinha, enquanto todos riam.

Doação

— Posso contar o que aconteceu naquele dia em que o Titi achou um cachecol? — perguntou Magali.

— Ai, essa é ótima! — falou Marina.

A Magali, então, contou que a turminha estava passeando, quando, de repente, o Titi encontrou um cachecol novinho no chão.

Todos pensaram o que poderiam fazer com ele. Dudu, que estava perto, disse:

— Titi, o que acha de trocar o cachecol por um brinquedo? Eu vi um carrinho bacana e...

— Nada disso! — interrompeu Titi. — Eu achei o cachecol e não sabemos quem é o dono. Não tem identificação. Vamos doá-lo para alguém que sofreu com as últimas chuvas, alguém que realmente precise.

— Mas que belo ato! — André falou. — O que o Titi fez me lembrou as palavras de Jesus: "Devemos dar de graça aquilo que de graça recebemos".

André explicou que existem muitas coisas que podemos dar de graça, sem pedir nada em troca.

— De *glaça*? Eu já *lecebo* coelhadas de *glaça*. — disse Cebolinha.

— De graça, não; você merece todas! — afirmou Mônica.

— Calma, crianças! Deixa eu explicar melhor: a gente cobra algo por um sorriso? Por um carinho? Não. E é assim também com a prece! — respondeu André. — Afinal, Deus ensina que devemos rezar pelo bem dos nossos irmãos, pais, amigos e até de quem não nos quer bem. Isso não tem preço e reflete nos nossos atos no dia a dia!

— Foi o que o Titi fez! — disse Mônica.

— Deixa a Magali terminar de contar! — falou Cascão.

— Isso mesmo! Quando o Titi entregou o cachecol a uma senhora pobre que estava com frio, todos nós sentimos uma alegria que não sei nem explicar...

Pedidos

— Bom, pessoal, adorei essas horas que passamos juntos, mas está chegando o momento de partir. — disse André.

— Ainda é cedo. — falou Cascão.

— Espero que tenham entendido que, independentemente da religião de cada um, o Evangelho tem coisas que se aplicam a praticamente tudo. E as preces, de que tanto falei, são como se a gente "conversasse com Deus". — afirmou André.

— E você acha que ele ouve? — perguntou Cascão.

— Isso depende da fé de cada um, Cascão. Não importa se as preces são feitas no quarto, na escola, a caminho do trabalho. Para nós, espíritas, Deus vê e escuta tudo, e pode nos atender sempre, quando falamos de coração. — respondeu André.

— Se Deus escuta os meus pedidos, vou pedir para nunca chover — brincou Cascão.

— Eu vou pedir para comer melancias gigantes. — emendou Magali.

— Ah, seus engraçadinhos... Vocês sabem bem que devemos pedir coisas justas, pois Deus sabe do que realmente precisamos. — explicou André. — Não há problema, por exemplo, em pedir paciência para estudar uma matéria difícil ou coragem para suportar uma doença.

— **Andlé**, você acha que eu posso pedir ajuda **pala elabolar** um plano infalível? — perguntou Cebolinha.

— Deus sempre nos concederá ideias para fazer escolhas acertadas e planos infalíveis... mas só se forem para praticar o bem. — respondeu André.

— Viu, Cebolinha? Planos só para fazer o bem! — falou Mônica.

— Eu só estava **blincando**. **Pindalolas**! — resmungou Cebolinha.

— É isso aí, crianças, o legal é sempre pedir coisas úteis! E, pelo que vocês me contaram, vocês já estão nesse caminho. Parabéns! — orientou André.

E a turminha toda abraçou André, antes de ele voltar para casa.

A Despedida

Quando chegou a hora de ir embora, André abraçou todas as crianças com muito carinho. E, antes de sair, ele se lembrou de mais uma frase do Evangelho, sobre a amizade:

— Turminha, no Evangelho, Jesus falou assim aos seus seguidores "Meus amigos serão conhecidos por muito se amarem". E eu adorei vocês, meus novos amigos. A partir de hoje, incluirei a todos nas minhas preces diárias.

As crianças responderam contentes:

— Nós também gostamos muito de você! Volte sempre!

Então, André entrou num táxi e partiu. Mônica, Cebolinha, Magali, Cascão, Anjinho, Franjinha e Marina, ficaram felizes e prometeram continuar aplicando tudo o que aprenderam no seu dia a dia no bairro do Limoeiro.

Afinal, com aqueles ensinamentos certamente se tornarão adultos de bom coração, e saberão respeitar e cuidar de todos os seres da natureza com o mesmo carinho.

O Evangelho, ou "Boa Nova", nasceu no coração de Jesus para iluminar os nossos corações.